Prenons la poudre d'escampette !

Texte d'Hazel Townson
Illustrations de Tony Ross

Texte français d'Olivier de Vleeschouwer

HACHETTE
Jeunesse

L'édition originale de cet ouvrage a été publiée en langue anglaise
chez Andersen Press Limited, sous le titre :

PILKIE'S PROGRESS

Les angoisses d'Octave
ou
Tout va mal
quand le cœur s'emballe !

C'était toujours le même cirque ! D'abord, les cris aigus de sa mère, puis les grognements mécontents de son père. Octave Crouzolles tira les couvertures par-dessus ses oreilles en gémissant. Il n'était que huit heures du matin et la bataille faisait déjà rage.

Mais si Octave croyait une seconde pouvoir se rendormir, il se trompait bougrement. La porte de sa chambre s'ouvrit précipitamment et sa mère lui rappela que, vacances ou pas, elle comptait bien sur lui pour l'aider à faire les courses de la semaine. Et il valait mieux qu'il se fasse une raison le plus vite possible, car s'ils n'arrivaient pas au supermarché pour neuf heures, ils passeraient la moitié de la matinée à faire la queue aux caisses.

Octave gémit de nouveau, sortit péniblement de son lit au moment où la porte d'entrée claquait, signal du départ de son père. Bien qu'il n'eût encore rien fait de fatigant, Octave

remarqua que son cœur battait vraiment très vite. Il se sentait comme un marathonien à bout de course. Ça n'était du reste pas la première fois qu'il observait ce phénomène et cela l'inquiéta. Était-il souffrant ? Il décida, pour vérifier, qu'il se soumettrait à ce test cardiaque installé dans l'enceinte du centre commercial.

Ainsi donc, plus tard dans la matinée, Octave Crouzolles glissait une pièce de deux francs dans la fameuse machine « Testez votre cœur ! », et enfonçait le doigt, selon les instructions, dans une sorte de tube. Il y eut un terrible grincement, des clignotants s'activèrent avec démence et tout un flot de comptes rendus se déversa à la vitesse de l'éclair. Très impressionné, Octave retira son doigt, juste avant qu'une explosion ne précipite la machine sur le sol.

Un instant paralysé par la stupeur, Octave se fondit bientôt dans la foule des badauds qui traînaient dans l'enceinte du magasin. Il se sentait horriblement mal et tremblait à l'idée qu'on ne remarque, en plus, le bout tout rougi de son doigt. Une chose était sûre : ça n'avait certainement pas arrangé son cœur déjà bien détraqué de pousser, comme il venait de le faire pendant une demi-heure, le caddy surchargé de sa mère. Et de toute évidence, ça n'augurait rien de bon d'avoir bousillé cette machine ! Combien de temps lui restait-il à vivre ?

Il se souvint que son grand-père était mort d'un infarctus ; son arrière-grand-père aussi. D'ailleurs, sa mère n'arrêtait pas de répéter à son père que c'était héréditaire, et qu'il ferait bien de maigrir un peu. (« Toute cette bière ! Tu veux absolument mourir avant d'atteindre la cinquantaine ! »).

Après avoir rassemblé de quoi remplir son congélateur, la mère d'Octave s'était affalée à une table du snack du supermarché où elle avalait, avant de reprendre la route, un chocolat chaud et des beignets. Octave, renonçant à une collation aussi suicidaire, avait préféré faire un meilleur usage de l'argent que sa mère lui avait donné. Il avait d'ailleurs été bien inspiré, sinon comment aurait-il découvert à quel point son cœur était malade ?

Une chose, à présent, le tracassait par-dessus tout : il ne devait à aucun prix retrouver sa mère comme prévu, sinon il lui faudrait porter deux énormes sacs jusqu'à l'arrêt du bus et les hisser lui-même vers la plate-forme fumeur où elle avait l'habitude de s'allumer une cigarette. Un tel effort aurait vite fait de l'achever. Quant à la fumée, inutile d'en parler...

Oui, mais quelle solution adopter ? Filer en douce jusque chez eux et laisser sa mère seule ? (Ce n'était pas l'idéal ! A son retour, elle piquerait sûrement une telle colère qu'il n'était pas certain d'éviter le malaise cardiaque. Et s'il échappait à l'infarctus, il succomberait de toute façon sous ses coups !) Non, ce qu'il fallait, c'était consulter un médecin.

Octave devina qu'il ne pourrait se rendre à la consultation tout seul. De plus, le seul fait de penser au docteur Floc lui flanqua de nouvelles palpitations. Celui-ci avait si souvent déjoué ses ruses de fausses maladies pour échapper à tel ou tel contrôle de math que les poules auraient des dents avant qu'il ne réussisse à le convaincre de quoi que ce soit.

Une autre idée lui vint ! Puisque les professeurs ne cessaient de clamer que la bibliothèque municipale regorgeait de livres fourmillant d'idées de toutes sortes, il s'y rendrait, dénicherait un bouquin sur les maladies cardiaques et saurait alors à quoi s'en tenir.

Il ne fallut pas longtemps à Octave pour mettre la main sur les ouvrages de médecine. Il était un habitué de l'endroit et connaissait son chemin. Sans perdre une minute, il s'installa dans un coin calme, les yeux plongés dans le *Précis des Maladies du Cœur* ouvert au chapitre 1 intitulé « Premiers Symptômes ». Plus ses yeux poursuivaient leur lecture, plus l'affolement les transformait en soucoupes volantes. « Douleurs dans le bras gauche », lut Octave. (C'était exactement ce qu'il avait ressenti pendant le dernier cours d'éducation physique.) « Douleurs dans la mâchoire inférieure » (et lui qui avait cru que c'était de mâcher trop de chewing-gum !), « Manque de souffle, notamment en grimpant des escaliers... » Qu'il fût encore en vie lui parut rapidement tenir du miracle ! Après avoir découvert le croquis effrayant d'un torse ouvert, il comprit qu'il n'irait pas plus loin ! Il claqua le livre et s'affala dessus, pâle et tremblant. A présent, son cœur battait si vite et résonnait si fort que la responsable de la bibliothèque allait sûrement le jeter dehors pour tapage caractérisé. De sentir une main se poser sur son épaule confirma sa crainte. Mais il se trompait. La main était celle de Suzy Lafleur, une fille de sa classe, championne de natation de l'école.

Suzy était l'être le plus éclatant de santé qu'Octave connaissait. Jamais malade, toujours en pleine forme, c'en était écœurant.

« Salut, Octave ! Qu'est-ce qui t'arrive ? chuchota Suzy. Tu as attrapé le virus des rats de bibliothèque ?

— Je me meurs », murmura Octave.

Suzy sourit.

« Pas ici, s'il te plaît ! Personne ne lèverait les yeux de son livre. Ça ne vaudrait même pas le coup ! »

Espérant qu'elle saurait le conseiller, Octave fit à Suzy le récit détaillé de son drame.

Quand il eut fini, Suzy parut songeuse. Octave n'était pas capable d'inventer une histoire comme celle-là ! D'ailleurs, à bien y regarder, il avait l'air plutôt mal en point. Pour être plus juste, il avait même l'air à demi mort.

« Ce qu'il te faut, c'est un examen complet ! Tu devrais filer à Sainte-Marie-du-Jour-de-Grâce, dit-elle, c'est l'hôpital le plus proche.

— Ils n'admettront jamais des enfants non accompagnés, répliqua tristement Octave.

— Il faut seulement que tu te débrouilles pour leur apporter des radiographies. Quand ils découvriront ton cœur détraqué, ils seront bien forcés d'agir ! Ils se ficheront alors de ton âge, peut-être même qu'ils te feront une greffe ! »

Après un nouveau temps de réflexion, Suzy sursauta. Elle venait de dégoter une fameuse idée.

« J'ai trouvé le moyen de te faire radiographer, Octave ! Suis-moi, laisse-moi parler et surtout, ne me contredis pas... D'accord ?

— D'accord ! » approuva Octave reconnaissant. Il était tellement heureux que Suzy prenne la situation en main ! Et Suzy Lafleur avait une telle énergie ! Il n'aurait pas pu mieux tomber.

Suivie de très près par Octave, Suzy quitta la bibliothèque et courut sur le boulevard. Quand elle aperçut un policier, elle le saisit par le bras et lui dit, d'un air fort préoccupé :

« Excusez-moi, monsieur l'agent. Vous serait-il possible de nous aider ? Mon ami vient juste d'avaler la bague de fiançailles de sa mère ! »

Madame Toute-La-Sagesse-du-Monde ou Une tempête dans une tasse vide

Octave Crouzolles n'en croyait pas ses oreilles. Pour qui se prenait cette idiote de Suzy ? En plus, sa mère n'avait même jamais eu de bague de fiançailles ! A la place, son père lui avait offert tout un lot de casseroles, considérant que c'était là une dépense plus utile et un meilleur placement pour l'avenir. Cette histoire-là, même après tant d'années, Mme Crouzolles ne l'avait jamais digérée !

Le policier marquait de l'intérêt pour Octave, et le malheureux garçon comprit qu'il était trop tard pour avouer la vérité. Comment affronter ce nouveau désastre ? Une fois encore, il ne lui restait plus qu'à fuir. Se retournant, il se mit donc à courir à toutes jambes, oubliant, dans son trouble, son mauvais état de santé. A l'évidence, avec un cœur comme le sien, il aurait mieux fait de ne pas courir ! Le temps qu'il s'en souvienne, il avait déjà parcouru la moitié d'une des rues donnant sur le boulevard. Il stoppa net et se calfeutra dans l'embrasure sombre d'une porte d'immeuble. Déjà des pas sonores se rapprochaient. Lorsqu'il aperçut le policier qui s'engageait dans sa direction, il s'appuya si fort contre la porte qu'elle s'ouvrit et le précipita dans... l'atelier de couture de Nini Prend-Son-Temps.

« Grands dieux ! Regardez un peu ce que le Père Noël nous a apporté ! » s'écria Clarice, chauffeur et femme à tout faire de Nini Prend-Son-Temps.

Elle déposa son énorme théière en étain sur les marches et se précipita pour relever Octave.

« On me poursuit ! haleta Octave. Puis-je me cacher une minute, s'il vous plaît ? Ça ne sera pas long. »

Clarice sourit.

« Bien sûr que tu peux, mon chou ! Reste ici aussi longtemps que tu voudras. Enfin un peu d'animation ! Un seul conseil : il ne faut pas que M. Fritch te voie. C'est celui qui a des revers à ses pantalons ».

Pendant qu'elle parlait, les yeux tournés avec anxiété vers l'escalier de l'office, elle poussa Octave vers le haut des marches, et l'introduisit dans une grande et vilaine pièce où une dizaine de femmes, assises en face de bruyantes machines à coudre, s'activaient parmi des monceaux de vêtements.

L'apparition d'Octave les stoppa net au milieu de leur ouvrage. Dans le silence, il vit douze paires d'yeux se poser sur lui avec curiosité et douze visages lui sourire malicieusement.

« Alors, Clarice, qu'est-ce que tu fabriquais ?

— Je me disais aussi que tu en mettais du temps à préparer le thé !

— La voleuse d'enfants a encore frappé, lui lança quelqu'un.

— Du calme, bande d'idiotes ! leur jeta Clarice. Ce pauvre gosse est poursuivi. Il cherche à se cacher...

— Oh, par exemple ! Et qu'a-t-il fait de mal ? Cambriolé une banque ? »

Au même moment, on frappa violemment à la porte d'entrée que Clarice avait eu la présence d'esprit de verrouiller. Clarice poussa Octave derrière un placard, attrapa un tas de tissus qui venaient juste d'être cousus (des linceuls, comme par hasard), et les jeta sur le gamin. Le temps qu'elle remonte avec le policier qui avait insisté pour visiter les lieux, toutes les machines s'étaient remises en route et les employées, la tête penchée sur leur travail, semblaient complètement absorbées par leur tâche.

« Un jeune homme ? Quel jeune homme ? Pour qui nous prenez-vous, monsieur l'agent ! » Les employées se regardaient avec indignation.

Après avoir jeté un coup d'œil autour de lui, le policier, gêné, se retira et Octave put ressortir de son tas de linceuls, sauvé... mais pour combien de temps ?

Tout le monde fut pris de fou rire. Clarice partit chercher la théière et l'on fit une pause.

« Assieds-toi là dans le coin, mon petit chéri. Et si M. Fritch pointe son nez, tu n'auras qu'à replonger dans ta cachette !

— Et maintenant, qu'on nous dise enfin pourquoi tout ce remue-ménage ! » demandèrent en chœur les couturières.

Clarice sourit.

« Oh, vous ne serez pas déçues ! lança-t-elle. Le policier m'a parlé d'un anneau de diamants qui aurait disparu !

— Par exemple ! s'écria Marguerite, la grande amie de Clarice, levant ses deux mains au ciel et soupirant de désespoir. Ils n'y vont pas par quatre chemins, les jeunes d'aujourd'hui ! A peine sortis de l'école primaire, ils cambriolent des bijouteries !

— Je n'ai rien fait de mal ! protesta Octave. C'est une histoire inventée de toutes pièces ! » Et dans sa fougue, il renversa un peu de thé sur plusieurs linceuls. Mais leurs malheureux destinataires viendraient-ils s'en plaindre ? Non, cela au moins était certain.

« T'inquiète pas, petit ! On est de ton côté. On ne va pas faire la morale à quelqu'un qui cherche à sauver sa famille de la misère. Ton père est au chômage, c'est ça ?

— Pas du tout ; il est contremaître au Service des égouts de la ville.

— Bon, j'imagine qu'il a des problèmes comme tout le monde. Quoi qu'il en soit, il va bien falloir que tu la rendes, cette bague !

— Allez ! Montre-la-nous ! Est-ce un de ces gros solitaires dont j'ai toujours rêvé ? »

Octave se sentit proche des larmes : la situation s'aggravait à une vitesse catastrophique. Il cria aussi fort qu'il put :

« Je n'ai volé aucune bague, et je serai sans doute mort demain ! »

Cet aveu fit l'effet d'une bombe sur le cœur sensible de ces dames.

« Explique-nous tout ! Quelqu'un te menace !

— C'est ça, bien sûr ! On le menace... Un bandit l'a forcé à voler cette bague à sa place, le petit a perdu la bague et ne sait plus comment faire...

— ... ou refuse de dire où il l'a mise...

— ... ou n'a pas osé la prendre...

— ... et maintenant, il est dans le pétrin !

— Qu'on me laisse lui régler son compte à ce bandit ! Je lui flanquerai des coups de cravache ! Parfaitement ! Je le couvrirai de goudron et de plumes, et je publierai sa photo à la une de tous les journaux ! »

Octave était si perturbé qu'il se demanda une seconde si ces propos n'étaient pas dirigés contre lui. Il décida que la seule chose qui lui restait à faire était d'éclater en sanglots.

Il avait vu juste. L'effet fut magique auprès de ces mamies au cœur tendre dont l'instinct maternel était si grand qu'elles auraient pu, à l'occasion, changer le terrible monstre du Loch Ness en toutou inoffensif. Elles prirent Octave dans leurs bras, le bercèrent tendrement, lui tapotèrent gentiment les joues et lui dirent mille mots doux pour le consoler. Elles lui séchèrent les yeux, le gavèrent de bonbons et promirent de se cotiser pour lui offrir un merveilleux cadeau de Noël.

« Je serai mort et enterré bien avant Noël ! » Voilà ce qu'il leur balbutia entre deux hoquets.

« Nous en saurons plus à ce sujet avant peu ! Pour l'instant, finis ton thé et donne-nous ta tasse ! lui lança alors Espérance, une autre bonne amie de Clarice.

— Oh, chic ! Espérance va te prédire l'avenir...

— Petit veinard ! Elle ne le fait même pas pour ses vieilles copines !

— Et si elle te voit mort pour Noël, il n'y a pas à hésiter... Tu le seras bel et bien !

— Bonne idée, ça le tranquillisera, ce petit ! Je n'ai jamais vu Espérance se tromper. Pas même le jour où Marguerite a fichu du cirage dans sa tasse pour la taquiner ! »

Octave commença à retrouver son calme. Un petit coup d'œil dans le futur, voilà ce qu'il lui fallait. Il vida sa tasse d'un trait... puis la regarda d'un air consterné. Elle était vide, entièrement, sans le moindre petit morceau de mouchette. Cela signifierait-il qu'il n'avait aucun futur, pas même une demi-heure à vivre ?

Ce qu'Octave n'avait pas encore compris, c'est qu'Espérance n'était pas restée en marge du progrès. Si l'apparition des sachets de thé avait conduit plus d'une diseuse de bonne aventure à la faillite, elle avait su s'adapter ! Extirpant un sachet détrempé du fond de la théière, elle le tendit à Octave en même temps que la petite paire de ciseaux qu'elle utilisait pour couper son fil.

« Vas-y ! Plante trois fois la pointe des ciseaux dans le sachet de thé, puis presse-le au-dessus de ta tasse. Quand je dirai stop, tu soulèveras ta tasse et la tourneras trois fois dans le sens des aiguilles d'une montre, comme ça. Puis tu me la donneras. »

Émerveillé, Octave s'exécuta. Il éventra vicieusement le sachet de thé pour libérer autant de feuilles de thé que possible, pensant que, peut-être, plus il y aurait de thé dans sa tasse, plus longtemps il vivrait. A la fin, il tendit sa tasse à Espérance, guettant sa réac-

tion. Comme personne ne lui avait dit ce qu'il fallait faire du sachet de thé, il le conserva fermement dans son poing.

Espérance promena la tasse sous la lumière. Tout le monde s'était rassemblé autour d'elle pour écouter ses prédictions. Quand, d'un seul coup, la foudre s'abattit ! Espérance posa la tasse sur l'appui de fenêtre derrière elle et retourna s'asseoir à sa machine.

« J'ai changé d'avis, dit-elle avec énergie. Je ne vais pas lui dire son avenir aujourd'hui. Je ne suis pas en forme. »

Il y eut un étrange silence. Le cœur d'Octave battait à un rythme irrégulier. Il s'était déjà figuré le pire lorsque Marguerite, sans le moindre tact, gémit d'un air désolé :

« Mon Dieu, elle a dû voir des choses horribles, des choses... »

Mais Clarice, pour la faire taire, lui flanqua un grand coup de talon sur la jambe. Puis elle lança à Octave, d'une voix limpide :

« Écoute, petit ! Tu ne voudrais pas venir en balade avec moi cet après-midi ? J'ai quelques livraisons à faire du côté de Sansouci. Ça te changerait les idées ! »

Changement de décor ou Qu'est-il arrivé aux meubles de grand-mère ?

Sansouci ? C'était peut-être sa dernière chance. La grand-mère d'Octave habitait là-bas. C'était une femme un peu spéciale, qui saurait sûrement quoi faire. Au point où il en était, il ne risquait plus grand-chose...

D'un commun accord, après un déjeuner composé de poisson, pommes de terre chips et petits pois (chacune de ces dames bien intentionnées insista pour partager son repas avec Octave qui, on le devine, n'avait pas très faim !), Clarice et Octave s'en allèrent.

Clarice était très bonne conductrice. Elle se vantait de n'avoir jamais eu d'accident, ni le moindre accrochage avec la camionnette de la société, malgré toutes les remarques perfides de M. Fritch au sujet « de ces femmes qui conduisent »... Elle était d'une sérénité totale et se sentait parfaitement confiante. Elle ne comprit donc pas lorsque Octave parut tout à coup si nerveux. En fait, alors qu'ils approchaient du bâtiment qui abritait le Service des égouts, il venait d'apercevoir son père, attendant le bus à l'arrêt juste en face.

A cette heure de l'après-midi ?

Évidemment, Octave ne pouvait pas deviner que son père rentrerait si tôt chez lui ce jour-là, à la suite d'un appel affolé de sa mère lui apprenant, outre la disparition de leur fils, que celui-ci avait volé et avalé une bague de diamants. Alors, bien sûr, lorsque M. Crouzolles aperçut son fils à l'avant de la camionnette, il se jeta en travers de la route pour la faire stopper.

« Regarde-moi cet imbécile ! » hurla Clarice en donnant un coup de volant pour l'éviter.

Octave devint blême.

« Oh, non ! Il ne manquait plus que ça ! gronda-t-il, se souvenant que ses parents lui avaient toujours interdit, entre autres choses, de monter en voiture avec des inconnus. Ils me tueront ! »

Clarice, qui pensait qu'il parlait de ces bandits qui l'avaient obligé à s'emparer de la bague, devait choisir : soit elle écrasait ce type (le chef des bandits), soit elle disparaissait à toute allure.

Mais Clarice n'était décidément pas une

meurtrière. Elle pressa donc sur le champignon et fonça à plus de 120 km/heure, sous le regard ébahi de M. Crouzolles qui put tout juste se réjouir d'être encore en vie.

Après une course poursuite d'une centaine de mètres qui s'avéra naturellement vaine, le père d'Octave revint sur ses pas et se précipita dans un bureau de son service d'où il composa le 17.

« Police ! Une femme vient de kidnapper mon fils ! A coup sûr, elle cherche à s'emparer de cette bague. J'ai pu relever le numéro d'immatriculation de la camionnette. Écoutez... »

Pendant ce temps-là, à l'intérieur de la camionnette, Octave était muet de stupeur. Non seulement Clarice lui avait donné l'impression de conduire comme une dingue, mais en plus, il savait bien que son père l'avait reconnu. Ce nouveau drame n'allait pas arranger son cœur ! Il devait se calmer, coûte que coûte. Peut-être qu'en s'isolant complètement de toute réalité, il y parviendrait mieux ! Il ferma donc les yeux, enfonça ses doigts dans ses oreilles et rentra la tête dans ses épaules.

Clarice pensa qu'il s'attendait à ce qu'on leur tire dessus.

« Ils sont donc armés ? demanda-t-elle d'une

voix lugubre, le nez sur le volant. De toute façon, ils ne m'auront pas de sitôt ! » Et elle entama une série de zigzags sur la route, tout en filant de plus en plus vite.

Octave ne s'en aperçut même pas. Il était trop préoccupé par sa propre accélération qui le conduisait de la vie au trépas. Quelle affreuse virée ! Il ne comptait plus que sur sa grand-mère pour lui venir à l'aide.

Lorsqu'ils approchèrent de Sansouci, Octave se redressa pour respirer. Il indiqua à Clarice où habitait sa grand-mère, lui fit une description de la maison qu'elle possédait, une belle maison spacieuse située au fond d'une allée remplie d'arbres. Il n'y avait plus mis les pieds depuis un an ou deux mais pouvait la guider sans problème. Ce serait vraiment dommage d'être si près de chez elle sans lui rendre visite !

Clarice paraissait soulagée. Elle s'était demandé ce qui leur arriverait sur le chemin du retour, lorsqu'ils repasseraient devant le Service des égouts. Peut-être que toute une bande de malfaiteurs les attendrait, mitraillette au poing. Elle se sentirait certainement mieux sans Octave assis à côté d'elle.

« Je passerai la nuit chez ma grand-mère. Il y a longtemps qu'elle le souhaite », lui dit Octave.

En fait, il comptait bien y rester plus d'une nuit. Il n'avait nullement l'intention de retourner chez lui et était aussi impatient de prendre congé de Clarice qu'elle l'était de se débarrasser de lui.

« Est-ce que ta bonne-maman préviendra ta maman que tu es chez elle ? demanda Clarice.

— Naturellement ! » mentit effrontément Octave, bien décidé à supplier sa grand-mère de n'en rien faire.

Clarice déposa Octave à quelques mètres de chez la vieille dame.

« Voilà, mon chou ! dit-elle. Vas-y et fais-toi gâter un peu ; ça te fera du bien. Mais promets-moi de tout lui raconter. Pour la bague et tout... Elle trouvera sûrement un moyen de t'aider. »

Octave n'avait plus la force de protester à propos de la bague. Il se contenta d'approuver d'un signe de la tête, remercia Clarice pour la promenade et se précipita dans l'allée qui descendait vers la maison de sa grand-mère.

L'ayant accompagné du regard jusqu'à la porte, Clarice, considérant son devoir accompli, démarra en direction de la Chapelle Ardente.

Pour la première fois de la journée, Octave retrouva ses esprits. Sa grand-mère s'y connaissait en potions de toutes sortes. Il se rappela la fois où elle avait composé un cataplasme pour le dos perclus de rhumatismes de son père et comment ce cataplasme l'avait guéri. Après huit jours passés au lit cloué par la douleur, il avait bondi dans toute la maison, dansant et criant comme un enfant de cinq ans. En toute logique, si sa grand-mère possédait des remèdes contre la toux, les furoncles, la fièvre ou les ongles incarnés, elle devait être capable de guérir les maladies cardiaques ! Croisons les doigts ! se dit-il, et il le fit !

Octave tourna la poignée, mais la porte était verrouillée. Il n'appuya pas sur la sonnette car sa grand-mère avait horreur du bruit et répétait à tout bout de champ que le jour où on la ferait sursauter en pleine préparation d'une potion, il y aurait une grande catastrophe ! Octave préféra donc aller voir à la porte de derrière. Elle était verrouillée, elle aussi. Sa grand-mère, de toute évidence, était sortie pour l'après-midi.

Octave serait bien resté sur les marches à l'attendre, mais il commençait à pleuvoir. A cause de son mauvais état de santé, il devait éviter à tout prix de se faire tremper. Il remarqua que la fenêtre du salon était entrebâillée. S'il arrivait à se hisser sur quelque chose, il pourrait l'ouvrir et se glisser à l'intérieur. Cette perspective le réconforta. Il songea aussitôt au visage de sa grand-mère l'apercevant et l'attendant à la cuisine, la bouilloire sur le feu et la table joliment préparée pour le thé.

Ayant trouvé une chaise de jardin, il la tira lentement sous la fenêtre, prenant bien garde à ne pas se fatiguer. Il se hissa ensuite prudem-

ment dessus et empoigna l'encadrement de la fenêtre. Celle-ci s'ouvrit le plus facilement du monde et Octave descendit presque sans effort dans le salon, prenant bien soin de refermer la fenêtre derrière lui.

La première chose qui le frappa fut que sa grand-mère avait acheté un nouveau tapis tout bleu. Un tapis si épais et si doux ! Rien à voir avec cette chose usée et grise qu'elle possédait autrefois. De même, il remarqua qu'elle s'était débarrassée de ses vieux fauteuils défraîchis et les avait remplacés par deux fauteuils à bascule neufs. Il s'apprêtait à s'y asseoir lorsqu'il aperçut, dans la glace, le visage de quelqu'un qui s'activait à la cuisine. C'était celui d'un homme âgé. Un homme qu'Octave n'avait encore jamais vu.

Monsieur Tête-de-Mule
ou
On tombe toujours sur un crétin bien décidé à vous gâcher la vie !

Suzy Lafleur était inquiète. Elle sentait bien qu'elle avait abandonné Octave à un moment décisif. Au lieu de l'alarmer avec son plan génial, elle aurait dû lui en parler avant. En le persuadant qu'elle était dans le vrai, elle aurait su éviter qu'il ne s'effraie. S'il était mort à présent, ce serait sa faute !

Bien qu'ayant donné l'adresse des Crouzolles au policier, Suzy était au moins certaine qu'Octave ne s'y trouverait pas. Il l'avait déjà prévenue qu'il n'oserait jamais rentrer chez lui. Où pouvait-il bien être, alors ? Suzy s'efforça de se mettre dans la peau d'Octave. Si elle était sur le point de mourir, une chose était sûre : elle n'irait pas courir n'importe où, ce qui augmenterait, à coup sûr, le danger. Poursuivant son raisonnement, elle comprit que, au lieu de demander conseil à ses parents, elle rechercherait l'avis de sa tante Rose, une personne compréhensive, pleine de ressources et capable, à n'en pas douter, de garder un secret. Octave avait-il dans son entourage quelqu'un de ce genre ? Suzy réfléchit une minute, puis se souvint de la fameuse grand-mère.

Octave ne tarissait pas d'éloges au sujet de sa grand-mère, si douée pour fabriquer des potions de toutes sortes et mélanger les herbes. Une sorcière, probablement ! Où vivait-elle, au juste ? Quelque part à la campagne, si elle avait bonne mémoire. Il fallut une demi-heure à Suzy pour se souvenir du nom de Sansouci, et lorsqu'il lui revint à l'esprit, il était presque l'heure de déjeuner. Il lui fallait retourner chez elle, pas uniquement pour être agréable à sa mère, mais aussi pour trouver l'argent nécessaire à son voyage en bus. Après le déjeuner, elle se rendrait à Sansouci et rattraperait Octave. Dans un si petit village, il ne devait pas être bien difficile de découvrir la maison d'une sorcière du nom de Crouzolles !

Suzy monta dans le bus de deux heures, serrant contre elle un sac en plastique rempli de pommes, de bananes et de chips (les champions de natation ont besoin de se nourrir sans cesse, sa mère le savait bien !) ainsi qu'un livre des Premiers Soins trouvé dans le cabinet de toilette, au cas où la santé d'Octave se serait encore détériorée.

L'arrêt du bus se trouvait juste en face de la poste de Sansouci et c'est là que Suzy pénétra en premier pour mener son enquête.

« Mme Crouzolles ? Désolée, mademoiselle ; il n'y a pas de Crouzolles dans ce village, à ce que je sache ! »

Oh, zut ! Si c'était la mère de la mère d'Octave, elle devait à coup sûr porter un nom différent. Suzy n'y avait encore jamais pensé. En désespoir de cause, Suzy prit les devants :

« C'est une sorcière ! Et une bonne à ce qu'on dit... »

La préposée des postes la regarda fixement.

« Il n'y a aucune sorcière par chez nous. Ici, c'est un endroit calme, agréable... A votre place... »

Mais Suzy était déjà partie. Peut-être que personne n'osait parler de l'existence d'une sorcière. A moins que tout le monde ignorât que la grand-mère d'Octave en fût une ? Apparemment, Suzy devrait chercher par elle-même. Elle respira profondément. Un peu plus loin, comme par miracle, la chance lui sourit.

Suzy avait atteint le bout d'un chemin lorsqu'elle aperçut quelque chose à terre, au milieu de l'allée qui menait à la dernière maison, au numéro 13. Elle bondit dessus et se releva avec un sentiment de triomphe : c'était un des tickets de bibliothèque d'Octave. Quel soulagement d'avoir fini par retrouver sa trace ! Très fière, Suzy se rendit jusqu'à la porte du numéro 13 et sonna.

La porte s'ouvrit sur un homme âgé à la carrure impressionnante, vêtu d'un long cardigan marron. A vrai dire, il ressemblait plus à un ours mal léché qu'à un être humain.

« Bonjour ! lança Suzy, l'air de rien. Êtes-vous le grand-père d'Octave ? »

Le vieil ours n'était le grand-père de personne, ce qui l'arrangeait bien. Il détestait les enfants. Jetant un regard soupçonneux vers le sac de Suzy, il grommela :

« Je n'achète rien aux camelots, et tu es bien trop jeune pour faire du porte-à-porte. Ta mère sait-elle à quoi tu passes le plus clair de ton temps ? »

Suzy sourit.

« Mais non, je ne vends rien. Je suis seulement à la recherche d'Octave. Je suis son amie. Voudriez-vous avoir la gentillesse de le prévenir que je suis ici ? »

Elle avait été bien charmante, bien polie et tout et tout avec cet énergumène si peu aimable ! Sa réponse la surprit d'autant plus.

« Il n'y a pas d'Octave ici, et tu le sais très bien ! Tu veux juste enquiquiner ton monde, comme tous les gosses, d'ailleurs. Quand vous ne lancez pas vos balles dans les gouttières, vous réclamez de l'argent pour des tombolas, ou distribuez des feuilles de chou et je ne sais quoi encore ! On n'est pas une minute tranquilles avec vous ! »

Avant que Suzy ait pu réagir, il lui avait refermé la porte au nez.

« Hé, monsieur ! Juste une minute ! »

Suzy frappa bruyamment à la porte. Comme cela ne suffit pas, elle cria à travers la boîte aux lettres : « Je sais seulement qu'Octave est ici parce que j'ai retrouvé un ticket de bibliothèque dans l'allée. Je suis venue pour l'emmener à l'hôpital. Vous a-t-il dit qu'il était malade ? »

A l'intérieur, silence total.

« Il va mourir ! hurlait Suzy de toutes ses forces. Des policiers le recherchent ! Si vous ne le laissez pas sortir, j'irai les prévenir et je dirai où il est ! »

Rien n'y fit. La vieille brute refusait de rouvrir la porte. Furieuse, Suzy tourna autour de la maison, frappant au carreau de chacune des fenêtres qu'elle rencontrait. Elle n'appréciait pas du tout d'être traitée de la sorte. Et dire que c'était une question de vie ou de mort !

« A la place de la grand-mère d'Octave, j'aurais changé cet ours en crapaud, songea-t-elle, mari ou pas ! »

D'un seul coup, elle se rappela quelque chose. Octave lui avait dit que sa grand-mère était veuve. Alors qui était ce vieux grincheux ? Un imposteur, sans doute !

Suzy se trouvait à l'arrière de la maison. Lorsqu'elle jeta un coup d'œil à la fenêtre de la cuisine, elle aperçut le sale bonhomme en train d'aguiser un grand, un long, un horrible couteau ! La lame d'acier étincelait dans la lumière. Sacrebleu ! Voulait-il se débarrasser

de son ami ? Avait-il entendu parler de la bague et s'apprêtait-il à découper Octave en morceaux pour la récupérer ?

Il n'y avait pas une minute à perdre ! Il fallait appeler à l'aide. Elle se précipita à la poste et composa le 17... mais ça alors ! Ça ne serait peut-être pas utile, après tout ! Il y avait encore du nouveau dans cette fichue histoire ; voilà qu'une camionnette s'engageait dans l'allée...

C'était peut-être l'aide dont Suzy avait besoin. A moins que ce ne fût le complice de ce type, venu chercher les restes du corps. Suzy décida de se cacher dans le jardin, au milieu des buissons détrempés et d'y attendre, pour voir...

Le retour d'une belle âme au grand cœur ou Dieu merci, Clarice a des remords

Après sa dernière livraison de linceuls à la Chapelle Ardente, Clarice s'était remise en route pour retourner à l'atelier. Il pleuvait sacrément et le bruit des essuie-glaces l'énervait. En réalité, plus que les essuie-glaces, c'était sa bonne conscience qui la taraudait. Cet enfant avait de gros ennuis et elle avait fui ses responsabilités. Elle l'avait laissé dans un drôle d'endroit sans même vérifier si ce qu'il lui avait raconté était exact. Sa grand-mère habitait-elle vraiment là-bas ? Ou était-ce un mensonge qu'il avait imaginé pour échapper à Clarice et faire une nouvelle bêtise ? Et ce blabla sur la mort ! Tout pouvait arriver ! Elle aurait payé cher pour savoir ce que la vieille Espérance avait vu dans ses feuilles de thé.

Bien sûr, le môme s'était dirigé sans hésiter vers le numéro 13, mais imaginons qu'à la minute même où Clarice était partie, on lui ait à nouveau tiré dessus ? On l'avait peut-être kidnappé ? Ou bien gisait-il mort, quelque part, dans un fossé détrempé, au milieu des champs ?

Et si ces sales voyous de tout à l'heure l'avaient retrouvé ? « Ils me tueront ! » avait dit Octave. Ils étaient peut-être des dizaines et armés, naturellement ! Avec une hâte horrifiée, Clarice réussit un magnifique demi-tour et fonça à nouveau vers Sansouci.

Elle reconnut sans hésiter l'allée et s'apprêtait à l'emprunter lorsqu'elle entendit la sirène. Une voiture de police approchait derrière elle. Quelle affreuse urgence les faisait rouler si vite ? N'arriverait-elle que pour trouver le corps sans vie d'Octave trimballé sur un brancard ? Quelle ironie pour quelqu'un qui venait juste de livrer tout un lot de linceuls !... Mais non, il ne fallait pas penser ainsi !

En fait, Clarice n'eut pas le temps de songer à quoi que ce fût car la voiture de police l'avait déjà doublée et lui faisait signe, à présent, de s'arrêter. Que lui voulaient-ils ? Comment aurait-elle pu imaginer que le père d'Octave avait transmis son numéro d'immatriculation à la police et qu'elle était recherchée pour enlèvement d'enfant ?

Ils étaient trois dans la voiture, deux hommes et une femme. Un policier s'avança vers Clarice tandis que l'autre commençait à promener son nez autour de la camionnette.

« Alors, à ce qu'il paraît, il y a eu un jeune homme dans cette voiture, cet après-midi...

— Ah ? Et qui raconte une chose pareille ? »

Clarice n'avait nullement l'intention de mêler ce pauvre Octave à de nouveaux ennuis avec la police.

« Il a été aperçu à l'avant de votre véhicule. Où l'avez-vous déposé ?

— C'est sûrement un aveugle qui l'a vu ! rétorqua Clarice d'un air moqueur. D'ailleurs, si ça vous intéresse, c'étaient des linceuls que je transportais sur le siège cet après-midi. Et je peux vous le prouver ! »

Bien entendu, elle ne put leur faire avaler cette histoire très longtemps. Des linceuls, et puis quoi encore ! Pour qui les prenait-elle ?

Le second policier avait eu le temps de jeter un œil à l'intérieur de la camionnette et reparut tout content avec un ticket de bibliothèque en main. Il portait le nom d'Octave Crouzolles.

« La voilà, la preuve ! dit-il. J'ai bien peur que vous ne soyez obligée de nous suivre pour nous aider dans notre enquête !

— Moi ? Moi ? » s'écria Clarice d'une voix rauque. Elle n'avait encore jamais imaginé qu'on pût la prendre pour une criminelle. Elle comprit brusquement ce que signifiait l'expression « être muette de rage ».

Cependant, lorsqu'elle fut conduite vers la femme à l'air supérieur, ni plus vieille ni meilleure qu'elle-même, Clarice retrouva sa voix :

« Gardez vos pattes loin de moi ! Je vous répète que je me suis seulement occupée de ce pauvre petit, que je l'ai sauvé d'une bande de voyous qui voulaient sa peau. Voilà ceux que vous devriez pourchasser, et pas de pauvres gens, honnêtes et besogneux, prêts à donner leur chemise, leur poisson du déjeuner, leurs chips, et leurs petits pois...

— Économisez votre souffle pour plus tard, l'interrompit l'autre, vous risquez d'en avoir besoin ! »

Mais Clarice ne faisait que commencer. A quoi servait de payer des impôts ? Pendant que des gangsters — sans doute de la Mafia — terrorisaient la région tout entière, utilisant d'innocents enfants pour commettre leurs méfaits à leur place, la police se contentait de verbaliser des conducteurs mal garés ! Et que se passait-il lorsqu'un brave garçon de la trempe d'Octave décidait de rendre service, allant jusqu'à avaler une bague pour empêcher ces sales bandits de la récupérer ? Était-il remer-

cié ? Et ses propres amis l'étaient-ils ? Tu parles ! Mais ils ne perdaient rien pour attendre ! Que M. Fritch, son patron, apprenne quelle liberté ils avaient prise avec son véhicule... L'affaire, à n'en pas douter, pourrait aller jusqu'au Parlement.

Elle continua sur ce ton, de fil en aiguille, de plus en plus excitée, comme lorsqu'un barrage cède et que l'eau emporte tout sur son passage.

Les trois policiers étaient rudement soulagés de rejoindre le commissariat. Puisqu'il n'y avait pas moyen de la faire taire, la meilleure solution était encore de la conduire auprès de l'inspecteur. C'est sur lui que Clarice déverserait toute sa hargne !

Pendant ce temps-là, Suzy, qui avait assisté, depuis sa cachette, à l'arrestation de Clarice, s'efforçait de rassembler ses esprits.

Premièrement : une femme, accusée d'avoir enlevé Octave, avait été arrêtée.

Deuxièmement : Octave ne se trouvait pas à l'intérieur de la camionnette de cette femme.

Troisièmement : la police avait complètement négligé la maison située au numéro 13 ; Octave ne s'y trouvait donc pas !

Quatrièmement : cette femme avait dû enlever son ami plus tôt dans la journée. Elle l'avait conduit en lieu sûr, puis était revenue par ici pour retrouver le ticket de bibliothèque sans doute égaré au cours d'une lutte sans merci avec Octave.

Quelle histoire compliquée ! Dieu seul pouvait savoir comment le pauvre cœur d'Octave avait traversé ce chaos ! Le propre cœur de Suzy commençait d'ailleurs à battre la chamade ; elle avait de plus en plus conscience de l'urgence de la situation. Tournant le dos à la maison, elle gravit le chemin en toute hâte.

Elle ne vit, hélas ! ni n'entendit la sourde agitation dont était le théâtre la plus petite fenêtre de l'étage où Octave, pâle comme un linge et dans tous ses états, tentait désespérément d'attirer son attention en frappant au carreau et bondissant sur place comme un débile !

Fichu lilas
ou
Tout le monde ne peut pas avoir un père vitrier !

Dès qu'Octave avait aperçu le visage de l'homme dans le miroir, il avait compris ce qui se passait. Cette maison n'était plus celle de sa grand-mère. Elle avait dû déménager. Il lui semblait bien, du reste, avoir entendu sa mère en parler deux mois plus tôt, mais comme c'était en plein milieu d'une dispute avec son père, il n'avait pas prêté l'oreille plus que ça. Il comprenait mieux à présent l'histoire du tapis et des fauteuils à bascule. D'ailleurs, sa grand-mère n'aurait jamais dépensé un centime pour des fauteuils à bascule ! D'après elle, et selon ses propres mots : « Se balancer dans un fauteuil est tout juste bon pour les gens qui n'ont rien de mieux à faire qu'à attraper le vertige ! » Mais c'était trop tard, de toute façon !

Octave avait pénétré à l'intérieur de la maison et ce type, le nouveau propriétaire, piquerait une belle colère s'il s'en apercevait !

Pour la troisième fois au cours de la journée, Octave prit la fuite. Il pensait bien que l'homme ne l'avait pas encore vu et il était certain de pouvoir se cacher jusqu'à ce que celui-ci s'en aille ou pique un somme...

En plus, Octave connaissait la maison dans ses moindres recoins. Il songea aussitôt à la petite chambre qui était la sienne lorsqu'il séjournait chez sa grand-mère. Elle contenait maintenant une énorme armoire dans laquelle on aurait pu facilement caser toute une équipe de foot. Il s'y installa donc, surveillant avec anxiété les dérèglements de sa poitrine ainsi que les va-et-vient à l'intérieur de la maison.

Il y eut d'abord des bruits de pieds qu'on traîne, accompagnés de sortes de détonations, puis le vieil homme grimpa l'escalier. Savait-il qu'un intrus s'était caché là-haut ? Octave acquit soudain la certitude que l'homme l'avait entendu. D'ailleurs, il avait dû laisser des empreintes mouillées partout sur son passage. Avec cette maudite pluie ! Même s'il était trop tard, Octave ôta machinalement ses chaussures et frotta ses semelles sur son pantalon.

L'homme était arrivé au premier étage. Il ouvrit et referma les portes de plusieurs autres chambres avant de pénétrer dans celle-là. Il s'y tint immobile pendant un moment, respirant bruyamment et promenant son regard autour de lui. Octave pouvait seulement apercevoir un bout de cardigan épais et de couleur marron.

Il pensa qu'il n'avait jamais été si proche de la mort. Son cœur battait si fort à présent qu'il semblait vouloir lui sortir par le nez et les oreilles. Dès que le type ouvrirait l'armoire, ça serait fait ! Il mourrait de frayeur !

Mais le vieux bonhomme n'ouvrit pas la porte.

« Sales chats ! murmura-t-il. Encore pires que les mômes, et c'est pas peu dire ! »

Finalement satisfait de n'en avoir trouvé aucun, il retourna en bas, mais auparavant, il prit soin de fermer chacune des chambres à clé. On ne savait jamais !

Octave entendit le grincement de la clé dans la serrure. Il avait grimpé une nouvelle marche dans l'escalier sans fin de la frayeur. Il était enfermé, emprisonné dans une maison étrangère. Il n'y avait que Clarice qui savait où il se trouvait et, à l'heure qu'il était, elle avait dû bel et bien l'oublier !

De toute façon, ce n'était pas en restant tapi au fond de son armoire qu'il trouverait la solution à ses problèmes. Il se pressa vers la fenêtre pour examiner ses chances d'évasion,

sûr dès à présent que celles-ci étaient minces. Une fois déjà il avait voulu s'en échapper, ce fameux jour où son père l'avait envoyé au lit pour avoir donné tout un rôti de porc à manger à un chien qui l'avait suivi jusqu'à la maison. Ce soir-là, il n'avait pas pu dépasser l'appui de fenêtre. Les hauteurs n'étaient, à vrai dire, pas son fort et rien, aux alentours, ne permettait de descendre sans risques. Les notions qui lui restaient du *Manuel du Parfait Débrouillard* ne lui seraient, ici, d'aucune utilité ! Nouer les draps ensemble pour en faire une corde était une excellente idée, mais bien inutile dans le cas présent car le lit n'avait pas été fait et aucun drap ne traînait dans les parages !

Octave regarda longtemps autour de lui, longtemps et tristement, se demandant que faire. C'était sans doute ça la fin horrible qu'Espérance avait vue au fond de sa tasse de thé. Si tel était son sort, il n'y pouvait rien. La meilleure chose était encore de mourir avec courage, comme un roi fier qu'on décapite. Est-ce qu'au moins sa mort prématurée pourrait servir à quelque chose ? Il eut aussitôt une idée et, cherchant de quoi écrire, il fouilla la chambre. Comme il ne trouva rien, il traça du bout du doigt, sur le miroir plein de poussière de la coiffeuse, le message suivant :

« Puissent mon père et ma mère arrêter enfin leurs disputes incessantes ! »

C'était une épitaphe si poignante qu'elle lui tira les larmes des yeux. Dans un film, à coup sûr, les violons se mettraient à jouer et la caméra s'éloignerait lentement de la fenêtre, l'objectif fixé sur son pauvre petit visage.

A propos de fenêtre, qu'est-ce qu'Octave venait d'apercevoir ? Il regarda avec plus d'attention et aperçut une fille. C'était Suzy Lafleur filant comme une flèche. Un joli retour de chance, finalement ! Au moins, il ne mourrait pas tout seul. Avec son imagination et son ingéniosité, Suzy n'aurait pas de mal à lui sauver la vie. Cette fille arrivait à se sortir de tous les mauvais pas et Octave la savait, pardessus le marché, d'une force de cheval.

Il commença à signaler sa présence par des appels de la main, puis en frappant au carreau, puis en s'agitant frénétiquement. Hélas ! il ne fut pas assez rapide. A cause d'un énorme lilas planté à l'extrémité du jardin, il perdit Suzy de vue. Et, naturellement, s'il ne pouvait plus la voir, il en allait de même pour elle. Tout ça à cause d'un arbre pourri ! Encore un coup de sa fichue malchance !

Quand c'est fini ça recommence
ou
La vie est une vraie teigne !

« Peu m'importe pour qui il se fait passer ; le père d'Octave, le Président de la République ou même Adolf Hitler ! Conduisez-moi seulement auprès de lui ! » cria Clarice à propos de M. Crouzolles.

Maintenant qu'elle était arrivée au commissariat et se rendait compte que le voyou du Service des égouts s'y trouvait déjà, elle était bien décidée à résoudre toute l'affaire par elle-même, même si, pour cela, il lui fallait passer des menottes aux poignets de l'inspecteur. Car cet inspecteur ne semblait décidément pas prêt à coopérer !

Il n'arrêtait pas de seriner la même chose, à savoir que si Clarice s'obstinait à ne pas vouloir se calmer, non seulement il ne la mènerait nulle part mais, qui plus est, elle risquait de se voir passer la camisole de force !

« Ne me menacez pas, sale brute ! Je suis une citoyenne innocente et je connais mes droits ! Vous serez condamné pour arrestation abusive !

— Servez-lui une tasse de thé, pour l'amour de Dieu, murmura l'inspecteur, et ajoutez-y deux ou trois calmants ! »

Mais pour Clarice, ce n'était pas l'heure du thé. Tout ce qu'elle voulait, c'était passer deux petites minutes avec ce sale bonhomme. Elle lui ferait tout avouer, avec ou sans thé !

Pour arranger le tout, un nouvel agent de police trouva le moyen de mener M. Crouzolles aux toilettes au moment précis où l'inspecteur s'efforçait d'entraîner Clarice vers la pièce insonorisée où avaient lieu les interrogatoires.

« C'est lui ! hurla-t-elle, entamant une sorte de danse guerrière autour de M. Crouzolles, passablement surpris. C'est lui, votre voleur de bijoux ! Je n'oublie jamais un visage, croyez-moi ! Je prêterai serment, vous m'entendez ! »

Elle vociférait toujours son charabia d'accusations lorsqu'on la jeta dans la pièce insonorisée et l'y enferma à clef.

Pendant ce temps, Suzy Lafleur avait gravi le chemin à toute allure sans trop savoir ce qu'elle allait faire. Elle s'arrêta donc pour envisager toutes les possibilités. Elle pouvait soit rentrer à la maison et tout raconter à son père (mais il n'y avait aucun bus avant au moins trois quarts d'heure...) ; soit tenter une nouvelle fois de retrouver la grand-mère d'Octave (mais sans même connaître le nom de la vieille dame, ça lui paraissait pour le moins hasardeux), soit enfin suivre sa première intuition, retourner au numéro 13 et espionner davantage ce drôle de type. Oui, c'est ce qu'elle allait faire ! Cette intuition-là était sûrement la bonne !

Comme pour lui donner raison, le soleil perça alors à travers les nuages, la pluie cessa et un groupe d'oiseaux se mit à gazouiller. Suzy redescendit l'allée, jeta un œil aux joyeux oiseaux qui s'égayaient au milieu du lilas et découvrit presque en même temps le visage hagard d'Octave posté à la fenêtre du premier étage. Une fois de plus, son intuition ne l'avait pas trompée !

Par des signes désespérés de la main, Octave fit comprendre à Suzy qu'il était enfermé dans la chambre. Pouvait-elle grimper jusqu'à lui ? Malheureusement, elle décida que non. Il semblait bien n'y avoir aucune prise sur la façade et puis comment être certaine que le sale vieux bonhomme n'en profiterait pas pour la frapper avec son couteau de malheur ? Le plus sage était assurément de prévenir la police sur-le-champ.

Par une série de mimiques appropriées, elle tenta de faire deviner ses intentions à Octave. Hélas ! il ne semblait pas comprendre. Il continuait de lui faire signe de venir le libérer au plus vite. Un temps précieux s'envolait et, finalement, Suzy décida d'abandonner Octave à ses angoisses, le temps de courir jusqu'au téléphone de la poste. C'était à près de deux kilomètres de là.

L'appel décisif de Suzy eut lieu au moment où Clarice attrapait sa tasse de thé et la vidait par la fenêtre de la pièce où elle était enfermée, au beau milieu d'un géranium fané.

L'inspecteur se hâta de mettre sur pied une expédition d'urgence et, dans les secondes qui suivirent, la crème de la police se précipitait à grand fracas vers la fameuse maison située au numéro 13.

Le vieil ours, sommé d'ouvrir sa porte et ne s'y soumettant qu'à contrecœur, changea subitement de manières quand on le traîna à l'extérieur pour lui montrer le visage d'Octave à l'une des fenêtres de sa propre maison.

Il n'en croyait pas ses yeux ! Évidemment qu'il avait entendu un bruit tout à l'heure !

Mais ce n'était qu'un chat qui s'était faufilé à l'intérieur au moment où il avait ouvert sa porte à une gamine mal élevée qui vendait des bananes. Il avait fouillé la maison et n'avait rien trouvé, ni en haut ni en bas. Il s'était alors contenté de fermer chaque chambre à clef pour éviter que le chat n'aille se fourrer dans les lits. C'était une infection, cette bestiole... On ne savait jamais où elle se trouvait mais tout puait sur son passage.

La petite troupe monta jusqu'au premier étage et le bonhomme ouvrit la porte. Ils découvrirent Octave, tellement ému par l'importance de l'opération de sauvetage qu'il s'était recroquevillé au fond de la grande armoire.

Le pauvre garçon regardait devant lui, à demi mort et grelottant de peur. L'inspecteur envoya la vieille brute lui chercher une couverture. Puis il lui dit d'aller préparer un bon thé bien fort.

« Ce pauvre petit a vécu une bien dure épreuve !

— Peut-être qu'à l'avenir, il hésitera à pénétrer par la fenêtre chez des inconnus !

— Je croyais que c'était la maison de ma grand-mère, expliqua Octave d'une voix tremblante. Et puis, de toute façon, je vais mourir... Alors, quelle importance ? »

L'inspecteur éclata de rire.

« Oh ! Tu changeras d'avis quand tu auras avalé un bon steak avec du gratin dauphinois et la succulente glace à la vanille de notre cantine. On pourrait même se débrouiller pour te trouver une bonne bouteille de Coca-Cola. Et puis, ton père t'attend pour te ramener chez toi. Il va être si content de te revoir !

— Je ne pense pas, non. En tout cas, pas pour longtemps, déclara Octave. Parce que si ce que je viens d'endurer n'était pas l'horreur aperçue par Espérance au fond de ma tasse, je crains bien que le pire ne soit encore à venir ! »

L'inspecteur lui jeta un regard perplexe. C'était un drôle de gosse, à n'en pas douter ! Il suffisait de lire ce qu'il avait écrit sur le miroir de la coiffeuse... Cette histoire était peut-être davantage du ressort d'un psychanalyste que du sien. Mieux valait le réconforter avant d'arriver au commissariat.

« En tout cas, ta petite amie va être drôlement contente. Elle t'attend dans la voiture. »

C'était la vérité. Suzy était assise à l'arrière. On l'avait prise au passage, à la cabine téléphonique.

« Alors, tu vis toujours ! articula-t-elle d'une voix inquiète.

— Tout juste ! répliqua Octave qui se disait

que le trajet jusqu'à la cantine allait sans doute l'achever. Je me demande même si je n'ai pas attrapé la lèpre ! » Et il lui montra une affreuse tache qu'il venait de découvrir au coin de son nez. Mais Suzy ne fut pas du tout impressionnée. Elle commençait à se demander si Octave ne se moquait pas d'elle.

Ils se rendirent au poste de police pour retrouver le père d'Octave ; des retrouvailles dont Octave se serait d'ailleurs bien passé. M. Crouzolles allait sans doute le remercier de lui avoir fait perdre une demi-journée de salaire et de l'avoir placé dans une position embarrassante vis-à-vis de la police. Ses rapports avec lui étaient déjà tendus en temps normal... Qu'est-ce que ça serait aujourd'hui ?

Mais quand les policiers le laissèrent seul, Octave en fut quitte pour une nouvelle surprise. Son père l'accueillit avec une joie manifeste, le serrant entre ses bras comme il ne l'avait encore peut-être jamais fait. Ce fut une expérience renversante à plus d'un titre !

« Laisse-moi te regarder ! »

M. Crouzolles entraîna son fils vers la lumière du jour pour s'assurer que tout allait bien.

« J'étais horriblement inquiet ! On m'a raconté que tu avais avalé une bague !

— Franchement, non, papa ! C'était seulement une rumeur idiote ! déclara Octave, les yeux fixés sur Suzy qui lui tirait la langue derrière le dos de son père. Je n'ai rien avalé du tout !

— Parfait ! Alors, où est-elle ? »

Octave haussa les épaules. Il était malade à crever à la seule pensée de cette bague. La prochaine fois que Suzy nagerait pour l'école, il se jura de la huer de toutes ses forces.

Puis il se passa une chose étrange. M. Crouzolles tira Octave vers lui et lui murmura à l'oreille qu'il y avait un petit problème.

« Tu comprends, mon fils, c'est comme ça ! S'ils ne classent pas cette affaire de bague volée, les choses pourraient devenir embarrassantes pour moi. »

A ce qu'il semblait, il y avait dans la pièce d'à côté une femme qui accusait le père d'Octave du vol d'une bague. C'était faux, naturellement, mais par la plus surprenante coïncidence, il avait là, au fond de sa poche, un anneau de diamants. Il l'avait trouvé par hasard dans les égouts, l'avait consciencieusement nettoyé avec un produit spécial pour bijoutier.

Il avait l'intention de l'offrir à la mère d'Octave pour mettre fin à ses éternels reproches au sujet de cette bague de fiançailles qu'elle n'avait jamais reçue. Mais s'il venait à l'idée des policiers de lui fouiller les poches, ça deviendrait carrément gênant, compte tenu des circonstances. En conclusion, ne serait-il pas plus simple qu'Octave se charge de conserver la bague jusqu'à ce qu'ils arrivent à la maison ? Les policiers n'auraient jamais idée de le fouiller lui, surtout après les péripéties qu'il venait de traverser.

Tout en parlant, M. Crouzolles sortit une boule de papier de la poche de sa veste et la glissa furtivement à Octave. C'était moins une car, au même moment, la porte s'ouvrit et un agent apparut avec un plateau rempli de nourriture.

Suzy répondit avec empressement à la proposition qui lui fut faite de se servir car il y avait belle lurette qu'elle avait avalé la dernière banane de ses provisions. De plus, elle devait suivre scrupuleusement cette belle maxime de sa mère : « Les champions à table font les champions à la piscine ! » Quant à Octave, la première bouchée de steak et de gratin avalée, il s'aperçut qu'il avait une faim de loup. Et tant pis pour son cœur. S'il devait mourir, il pouvait aussi bien mourir joyeux et le ventre plein. Le plus surprenant était que depuis que son père l'avait serré dans ses bras, qu'il lui avait montré combien il s'était inquiété et lui avait même demandé de l'aider, il s'était senti de mieux en mieux. Son cœur battait seulement au petit trot et son inquiétude s'était envolée.

Le steak et le gratin étaient vraiment délicieux et Octave envoyait des étincelles avec son couteau et sa fourchette. Était-ce une seconde chance que lui offrait la vie ?

Il avait pris soin de ranger le papier contenant la bague dans la poche de son pantalon. Mais lorsqu'il renversa de la sauce sur ses genoux et tira son mouchoir de sa poche pour réparer les dégâts, il tira accidentellement la bague en même temps. Le tout petit paquet tomba inaperçu au milieu des bouts de viande et prit aussitôt la couleur de la sauce.

L'inspecteur choisit cet instant pour réapparaître. Bienveillant comme saint Nicolas, il contemplait les enfants qui mangeaient, songeant à les raccompagner lui-même jusqu'à chez eux. (Il avait déjà, avec un calme souverain, raccompagné Clarice jusqu'à sa camionnette.) Ce n'était pas si souvent qu'il avait l'occasion de vivre des dénouements d'affaires heureux et il entendait bien en profiter au maximum, se laissant même aller à un brin de causette anodine.

« Vous devez aimer la navigation, monsieur Crouzolles ! lança-t-il d'un ton badin. Toujours prêt à emmener votre épouse en balade ? »

C'est à ce moment précis qu'Octave eut un haut-le-cœur, s'étrangla, crachota et se renversa violemment sur le dossier de sa chaise. Comme l'avait prévu Espérance, il venait d'avaler la bague de fiançailles de sa mère.

Table

Composition réalisée par C.M.L., Montrouge

Achevé d'imprimer par CLERC S.A.
18200 Saint-Amand-Montrond - N° 5008 - Novembre 1992
ISBN 2.010.18964.7 - Dépôt légal éditeur n° 0808 - 11/92

32/0799/0